JEUNESSE

Julie et la danse diabolique

De la même auteure

Jeunesse

Simon, l'espion amoureux, Libellule, Dominique et cie, 1999.
Louna et le dernier chevalier, Les petits loups, Le Loup de Gouttière, 2000.
La mémoire de mademoiselle Morgane, roman vert, Dominique et cie, 2001.
À fleur de peau, coll. Titan, Québec Amérique Jeunesse, 2001.
Lorian Loubier, superhéros, roman bleu, Dominique et cie, 2002.
Lorian Loubier, grand justicier, roman bleu, Dominique et cie, 2003.
Le Grand Vertige, coll. Titan, Québec Amérique Jeunesse, 2004.

SÉRIE JULIE

Julie et le visiteur de minuit, coll. Bilbo, Québec Amérique Jeunesse, 2002.
Julie et le serment de la Corriveau, coll. Bilbo, Québec Amérique Jeunesse, 2003.

Julie et la danse diabolique

MARTINE LATULIPPE
ILLUSTRATIONS : MAY ROUSSEAU

QUÉBEC AMÉRIQUE jeunesse

Données de catalogage avant publication (Canada)

Latulippe, Martine
Julie et la danse diabolique
(Bilbo; 132)
ISBN 2-7644-0363-1
I. Rousseau, May II. Titre. III. Collection: Latulippe, Martine. Julie.
IV. Collection: Bilbo jeunesse; 132.
PS8573.A781J842 2004   jC843'.54   C2004-941207-8
PS9573.A781J842 2004

 **Conseil des Arts   Canada Council
du Canada   for the Arts**

Nous reconnaissons l'aide financière du gouvernement du Canada
par l'entremise du Programme d'aide au développement de l'industrie
de l'édition (PADIÉ) pour nos activités d'édition.

Gouvernement du Québec – Programme de crédit d'impôt pour
l'édition de livres – Gestion SODEC.

Les Éditions Québec Amérique bénéficient du programme de
subvention globale du Conseil des Arts du Canada. Elles tiennent
également à remercier la SODEC pour son appui financier.

Québec Amérique
329, rue de la Commune Ouest, 3e étage
Montréal (Québec) H2Y 2E1
Téléphone: (514) 499-3000, télécopieur: (514) 499-3010

Dépôt légal: 3e trimestre 2004
Bibliothèque nationale du Québec
Bibliothèque nationale du Canada

Révision linguistique: Diane Martin
Mise en pages: Andréa Joseph [PageXpress]

Imprimé au Canada

À Isabelle et Ricardo

-1-

Le diable
et les coquettes

D'habitude, moi, Julie, je ne suis pas du genre à passer des heures devant le miroir pour me faire belle. Une Julie au naturel! Sauf que... hum hum... depuis quelques mois il y a un nouveau à l'école. Il est... comment dire... joli? Non, bien plus que ça. Beau? On se rapproche... Génial? Voilà! Il est génial. Un garçon gentil comme tout, beau comme tout, intelligent comme tout. C'est bien connu, je suis un véritable moulin à paroles. Pourtant, quand le nouveau est là, je perds tous mes moyens.

Je deviens si nerveuse que j'ai du mal à parler. Le nouveau s'appelle Dominic. Dominic, c'est le plus beau prénom du monde entier.

Justement, ce soir, Dominic joue au soccer sur un terrain situé à quelques rues d'ici. Il m'a même invitée à aller le voir. Bon, pour être honnête, nous étions environ douze autour de lui quand il a dit: «J'ai un match vendredi soir et un autre samedi après-midi, si ça vous tente de venir m'encourager.» Mais j'ai bien senti qu'il s'adressait particulièrement à moi. Alors je me prépare à y aller et je suis décidée à l'éblouir. Rien de moins! Normalement, je ne me coiffe pas. Cette fois, j'ai pris le temps de me faire deux tresses. Je me maquille très rarement. Aujourd'hui, j'ai mis du brillant à lèvres

et du fard à paupières. Du brillant à lèvres transparent et du fard à paupières couleur peau, mais quand même. D'habitude, j'imagine des tonnes d'histoires de loups-garous, de sorcières, de toutes sortes de créatures bizarres. Cette fois, je rêve plutôt... au prince charmant!

Catastrophe! J'ai tellement traîné devant le miroir pour me préparer qu'il me reste cinq minutes seulement pour me rendre au terrain. Je ne pourrai pas parler au prince charm... euh... à Dominic avant le match – c'est peut-être aussi bien: il m'intimide tellement que je ne sais jamais quoi lui dire... Je sors de ma chambre et me dirige à toute vitesse vers la cuisine. Exactement huit secondes et trois quarts plus tard, j'ai la main sur la poignée de porte, prête à sortir. Une Julie coup de vent! Mais c'est sans compter ma mère, qui crie du salon:

—Julie, viens ici!

—Pas le temps, maman! Je suis pressée.

—J'ai une surprise pour toi.

Je pousse un soupir énorme pour bien lui montrer qu'elle me dérange, mais je vais tout de même la rejoindre au salon.

—STÉPHANE!!!

Mon oncle est assis à côté de ma mère. Je ne savais même pas qu'il était revenu! Stéphane est toujours en train de voyager à cause de son métier. Il est ethnologue; il recueille plein de versions des légendes et des contes québécois et il en fait des livres. D'habitude, je peux passer des heures en sa compagnie. Stéphane, c'est mon idole, mon adulte préféré, mon oncle adoré. Mes parents courent sans arrêt, semblent toujours essoufflés; lui prend toujours le temps de me parler et de m'écouter. Il ne rit jamais de mes peurs et croit à toutes mes histoires.

Je suis déchirée: j'aurais bien envie de m'asseoir et de parler avec mon oncle, mais je ne peux pas manquer le match... et surtout l'occasion de voir Dominic. Je me penche pour embrasser Stéphane quand, soudain, ma mère s'écrie:

—Julie, viens donc ici un peu! Mais... tu es maquillée!

—Je... non... oui... bof... peut-être... un peu... tu crois?

Stéphane sourit.

—Oh! oh! Tu vieillis, ma Julie. Tu deviens coquette. Fais attention à ne pas trop l'être. Tu sais ce qui arrive aux jeunes filles trop coquettes...

Non. Je ne le sais pas. Honnêtement, je meurs d'envie de le savoir, car les histoires de Stéphane sont toujours passionnantes. Mais si je commence à en écouter une, j'arriverai en retard à la partie de soccer. Rester? Partir? Tant pis: ma curiosité est plus forte que tout.

— Qu'est-ce qui leur arrive, Stéphane?

— Le meilleur exemple est celui de Rose Latulipe. Rose était une jeune fille très jolie, une brunette qui faisait battre bien des cœurs autour d'elle. Elle avait un fiancé, Gabriel, mais elle était coquette et aimait plaire à d'autres garçons. Et ce qu'elle adorait par-dessus tout, c'était la danse.

Ça y est, je sens que je ne pourrai pas m'en aller. Je m'installe confortablement sur le tapis, devant mon oncle qui continue :

—On est au dix-huitième siècle : c'est interdit de danser pendant le carême, puisque c'est une période de pénitence. Cette année-là, Rose veut organiser une soirée pour le Mardi gras, la veille du début du carême. Elle insiste tant que son père finit par accepter. «Mais tu dois absolument arrêter de danser avant minuit!» précise-t-il.

Je demande à Stéphane :

—Pourquoi? Il y avait des loups-garous dans la famille?

Mon oncle éclate de rire.

—Pas du tout. C'est simplement qu'à partir de minuit, c'est le mercredi des Cendres. Le début du carême. À cette époque, c'est un grand péché de danser après minuit. Rose accepte la condition de son père, bien entendu. La soirée a lieu. La fête bat son plein, tout le monde s'amuse, on danse à en avoir les pieds engourdis. Rose est plus belle que jamais. Dehors, il fait tempête. Tout à coup…

Stéphane baisse la voix et se penche vers moi.

—Tout à coup, à onze heures du soir, on frappe à la porte. Un bel étranger entre. Il est très élégant, tout habillé de noir. Le père Latulipe l'invite à se joindre à eux en attendant que la tempête se calme. L'étranger demande la permission de garder ses gants et son chapeau, disant que, de toute façon, il ne restera pas longtemps, il est pressé.

Une sonnerie stridente me fait brutalement revenir sur terre. Le téléphone ! J'étais complètement absorbée par l'histoire de Rose Latulipe. Ma mère répond et tend le combiné à Stéphane.

—Pour toi, Steph. C'est Rosie.

Affolée, je regarde l'heure : j'ai déjà manqué les dix premières minutes du match! Heureusement que l'amoureuse de mon oncle a téléphoné. Je dois y aller. Je veux savoir ce qui arrive à Rose Latulipe, bien sûr, mais je veux aussi voir Dominic! Je murmure à Stéphane :

—On continue l'histoire à mon retour, OK?

Et je m'éclipse.

-2-

Le diable et...
Julie !

J'arrive au terrain de soccer tout essoufflée, les joues rouges, les mains moites. La partie est déjà en cours, évidemment. Je repère vite le prince charm… euh… Dominic sur le terrain. Je m'assois dans les estrades, en essayant de me calmer et de reprendre mon souffle. Il flotte une étrange odeur dans l'air. Une odeur insistante, qui semble toute proche. Je me retourne vivement et me retrouve face à face avec monsieur Rouleau, un homme qui s'est installé au village il y a un peu moins d'un an. Je l'ai vu à quelques reprises à la bibliothèque, mais je ne lui ai jamais parlé. Intimidée de m'être retournée aussi brusquement, je le salue. Il me jette un long regard avant de répondre. Je sens que je rougis à vue d'œil. Une Julie borne-fontaine!

— Bonjour, mademoiselle, me dit enfin l'homme d'une voix grave en touchant le bord de son chapeau.

Drôle d'idée, de porter un chapeau; tout le village souffre de la canicule depuis des jours! Il fait si chaud que j'ai du mal à supporter ma camisole et ma jupe. Pourtant, monsieur Rouleau est vêtu de la tête aux pieds : chandail à manches longues, pantalon noir, chapeau... et même des gants!

Ma gorge se serre. Un étranger qui garde ses gants et son

chapeau quand il fait trente degrés dehors, c'est un peu louche, non? J'aurais dû écouter la suite de l'histoire de Stéphane pour en apprendre plus sur l'inconnu de la légende de Rose Latulipe.

Je tente de me concentrer sur la partie de soccer, mais même Dominic n'arrive pas à me faire oublier cette ressemblance mystérieuse avec l'étranger de la légende. Je me retourne discrètement pour regarder monsieur Rouleau, en essayant de ne pas me faire voir. Mission impossible. Dès que je tourne un peu la tête, il me fixe droit dans les yeux et un sourire retrousse ses lèvres, laissant voir ses dents blanches étincelantes. Une idée s'impose dans mon esprit et ne le quitte plus : depuis son arrivée dans mon village, je n'ai

JAMAIS vu monsieur Rouleau sans son chapeau.

Décidément, le cœur n'y est pas. Je n'ai même plus envie de regarder le reste de la partie. Je me lève et retourne chez moi en vitesse. J'espère que Stéphane y est encore.

▲ ▼ ▲

Je me précipite au salon. Ouf! mon oncle adoré est toujours en grande discussion avec ma mère!

—Déjà de retour, Julie? s'étonne maman.

—Oui, je... je repensais à ta légende, Stéphane.

Ma mère lève les yeux au ciel.

—Je te l'ai dit mille fois, Steph: arrête avec tes histoires. Elle est trop impressionnable!

—Je voulais savoir pourquoi l'étranger avait gardé son chapeau et ses gants à la danse.

—Ah, ça! fait Stéphane avec un petit sourire, tout content que je m'intéresse à ses légendes. C'est pour ne pas être reconnu, Julie.

Mon oncle reprend son attitude de conteur. Il s'assoit juste sur le bord de son fauteuil, penché vers moi, la voix grave, le regard perçant.

—Une fois l'étranger entré dans la maison des Latulipe, la danse continue. Personne n'a jamais vu cet homme aux manières de grand seigneur. L'étranger invite immédiatement Rose Latulipe à danser. Tu imagines à quel point la coquette est heureuse que le bel inconnu l'ait remarquée! Ils se mettent à tourner, à tourner encore. Rose ne peut plus arrêter, comme si ses pieds bougeaient malgré elle. Elle se sent ensorcelée. Minuit sonne. Le père Latulipe ordonne d'arrêter la danse, mais le bel étranger insiste : «Une dernière... Juste une petite danse encore...» Rose voudrait s'immobiliser, mais elle continue de tourner avec l'inconnu. Soudain, une forte odeur de soufre s'élève dans la maison et l'étranger éclate d'un rire diabolique. Il se penche pour embrasser Rose Latulipe. Du feu jaillit de ses lèvres. L'étranger était... l'as-tu deviné, Julie?

Je réponds d'une petite voix tremblante :

— Non, je ne suis pas sûre...

— C'était le diable en personne.

Maman soupire.

—Je sens qu'on n'a pas fini d'en entendre parler…

Sans m'occuper de son commentaire, je demande:

—L'histoire finit comment?

Stéphane jette un petit regard à ma mère avant de répondre:

—Il y a plusieurs versions, comme pour toute légende. Dans certaines, Rose Latulipe est sauvée juste à temps par le curé et elle entre au couvent. Parfois, le baiser du diable met le feu à la maison des Latulipe: elle brûle en entier et, le lendemain matin, Rose Latulipe a vieilli de cinquante ans d'un coup. Selon d'autres versions, elle devient folle, ou le sol s'ouvre sous ses pieds et elle tombe droit en enfer.

Stéphane se tait. Ma mère grommelle:

—Merci beaucoup, Steph.

Mon oncle me regarde avec attention et ajoute :

—Mais ce n'est pas ma version préférée, Julie. Celle que j'aime le mieux, je ne l'ai jamais lue dans un livre, mais plusieurs personnes âgées me l'ont racontée. Une vieille dame qui disait son chapelet dans un coin de la maison des Latulipe a reconnu le diable. Elle l'a aspergé d'eau bénite et il a disparu dans un nuage de fumée. La belle Rose Latulipe lui a donc échappé, mais elle a toujours gardé sa marque ; l'empreinte de la main du diable est restée imprimée dans son dos, comme s'il l'avait brûlée. Et plus aucun garçon n'a voulu de la coquette.

Je frotte mes yeux pour enlever le fard à paupières. Je veux que Dominic me trouve belle, c'est vrai, mais je ne veux pas attirer l'attention du diable! Mon oncle continue:

—Tu comprends, maintenant, pour le chapeau et les gants? Si l'étranger avait enlevé ses gants, on aurait vu qu'il avait des griffes au lieu d'ongles. S'il avait enlevé son chapeau, on aurait vite remarqué ses cornes...

—Mais quand la vieille dame lui a jeté de l'eau bénite, le diable est mort, n'est-ce pas?

—Non, Julie, le diable ne peut pas mourir. Il est toujours là.

Ma mère, le front appuyé sur ses mains, soupire de découragement. Elle se lève et pousse mon oncle vers la porte en riant.

Moi, je n'ai pas le cœur à rire. Je pense à monsieur

Rouleau, qui dégage une drôle d'odeur, qui n'enlève jamais son chapeau ni ses gants. Je pense au diable, qui sent le soufre, ne meurt jamais et qui doit bien rôder quelque part, à la recherche de coquettes. Je transpire toujours à grosses gouttes, mais ce n'est plus à cause de la chaleur. Plutôt de la peur. Pas le choix, Julie : tu dois mener l'enquête et découvrir qui est réellement ce monsieur Rouleau. Une Julie détective !

-3-

Invitation
à la danse

Je ne sais pas où habite monsieur Rouleau. En fait, je ne sais à peu près rien de lui. Comme les Latulipe qui ne connaissaient rien du bel étranger… Ce matin, je me dis donc que la chose la plus logique à faire est d'aller voir le match de soccer de Dominic. D'abord parce que j'ai manqué pratiquement toute la partie hier. Ensuite parce que c'est une excellente occasion de revoir mon prince charm… euh… Dominic. Enfin parce qu'il est possible que monsieur Rouleau soit aussi au terrain de soccer, puisqu'il y était hier.

Avant de quitter la maison, toutefois, je dois assurer ma protection: si monsieur Rouleau était bel et bien le diable? Et s'il était encore assis à quelques centimètres de moi? Le diable dans mon dos... Cette idée me fait frissonner. Vite, je dois agir avant de perdre tout mon courage. Je téléphone à mon oncle.

—Stéphane, existe-t-il un moyen de se protéger du diable?

Il hésite.

—Eh bien, les trucs religieux habituels: chapelets, crucifix, prières... Ah oui! J'ai aussi entendu dire que les demoiselles qui dansaient le soir du Mardi gras portaient une médaille de saint Antoine pour se protéger.

Je le remercie et raccroche.

Pas de risques à prendre. Je cours voir mon père, qui

comme toujours a le nez plongé dans un document qui semble terriblement sérieux et terriblement ennuyeux.

—Papa, as-tu une médaille de saint Antoine?

—De saint qui?…

—Antoine.

—Non, Lili, je n'ai pas de médaille de saint Antoine. Je n'ai même jamais *pensé* acheter une médaille de saint Antoine… Peux-tu me dire ce que tu veux faire avec ça, s'il te plaît?

—C'était juste pour savoir. Comme ça… Pour voir de quoi saint Antoine a l'air.

Mon père semble sceptique. Il reste silencieux un moment, puis ajoute:

—J'ai bien une médaille de saint Joseph que mon père m'a donnée, mais c'est tout.

—Je peux te l'emprunter?

Pour une fois, je suis contente que mon père croule sous le travail. Il regarde la pile de documents placée devant lui, pousse un soupir, renonce à me poser plus de questions. Il va chercher sa médaille dans sa chambre, revient en me tendant la chaînette. Je l'enfile immédiatement.

—Merci, papa! À plus tard!

Je cours vers la porte avant qu'il décide de m'interroger ou avant que ma mère comprenne ce qui se passe.

Je retourne au terrain de soccer. Aujourd'hui, j'assiste à la partie au complet. Une quinzaine de minutes après le début du match, mon cœur s'arrête: Dominic lève la tête vers moi et me salue. Qu'il est beau! Qu'il est bon! Qu'il est... Quelques secondes plus tard, mon cœur s'arrête de nouveau – décidément, je n'aurais jamais cru qu'un match de soccer puisse être si exaltant! Monsieur Rouleau arrive, toujours habillé des pieds à la tête. Il porte ses gants et son chapeau. Il s'assoit quelques rangées devant moi, me salue d'un sourire. Ou bien monsieur Rouleau est un vrai amateur de soccer, ou bien… il me suit! J'ai le diable à mes trousses, foi de Julie!

J'ai du mal à attendre que le jeu se termine. J'essaie d'élaborer mon plan. Que faire? Suivre monsieur Rouleau après la partie? Aller lui parler directement pour lui dire que je sais qui il est? La fin du match m'oblige à arrêter mes questionnements. Je me lève, descends des estrades. Dominic s'approche, tout sourire.

—Salut, Julie! Beau match, hein?

—Oui, répond une voix grave derrière moi, et elle l'a vu en entier, cette fois. Hier, elle est partie vite!

De nouveau, une étrange odeur flotte dans l'air. Je me retourne: monsieur Rouleau est derrière moi, évidemment. Je ne l'ai même pas entendu approcher. Il me lance un sourire étincelant. Je ne me trompais pas: il me suit, surveille mes faits et gestes.

Dominic reprend:

—Vas-tu à la fête du village demain après-midi, Julie?

Notre village célèbre son cent cinquantième anniversaire. Depuis des semaines, tout le monde ne parle que de cette fameuse fête et de la grande danse qu'il y aura sur la place le dimanche après-midi. En temps normal, j'aurais donné n'importe quoi pour que Dominic me demande si j'y serai – puisque ça laisse sous-entendre qu'il a envie que j'y sois... J'aurais volontiers donné ma collection de cartes de hockey. Mes livres sur les contes et légendes. Peut-être même mon bâton de base-ball. Mais je n'arrive pas à apprécier la question, trop nerveuse à l'idée que monsieur Rouleau soit au courant du moindre de mes déplacements. Je bredouille :

—Euh... oui... je pense... ça doit... peut-être ?

Je tente de me ressaisir. Je regarde monsieur Rouleau droit dans les yeux et, mine de rien, je sors ma médaille de saint Joseph de sous ma camisole. Je la tiens serrée entre mes doigts. Le diable d'homme est fait fort. Je pensais qu'en voyant ma médaille religieuse il s'enfuirait en courant, mais non! Il fait plutôt une révérence moqueuse et me dit d'une voix mielleuse:

—Je réserve la première danse, alors, mademoiselle.

Ça y est. Le diable m'a choisie. Je suis punie pour avoir été trop coquette.

—Je ne danse pas très bien, monsieur Rouleau…

—Moi non plus. Nous formerons un couple parfait.

Sans me laisser le temps de réagir, il éclate d'un rire diabolique. Puis, il se tourne vers Dominic et tous deux se mettent à analyser dans ses moindres détails le match qui vient de se terminer, à commenter

chaque but, à parler de passes et de bottés.

Je n'ai plus rien à faire ici. Inutile de suivre monsieur Rouleau. Son invitation est on ne peut plus claire. Une Julie condamnée ! Il ne me reste qu'à rentrer chez moi afin de profiter pour quelques heures encore de la présence de ceux que j'aime…

-4-

Le diable
à la danse

Je n'ai pas dormi de la nuit. Ce matin, au déjeuner, je regarde mes parents comme si je ne devais plus jamais les revoir. Je reste même à table plusieurs minutes pour les écouter parler de formulaires à remplir, de rapports à écrire et de documents à relire. Normalement, je fuis ce genre de discussion comme le diable fuit l'eau bénite... Papa et maman me regardent d'un air si étonné que je file dans ma chambre pour ne pas éveiller les soupçons. Ce sera déjà assez difficile pour eux de perdre leur fille unique, inutile de les alarmer en leur annonçant d'avance la nouvelle. À présent, je tourne en rond dans ma chambre. Perdue dans mes pensées, je sursaute quand des coups sont frappés à ma porte.

—Lili! crie mon père. Il est treize heures. Nous partons!

J'essaie de répondre, mais j'ai la gorge trop serrée. Je marche à pas lents vers la porte, je jette un dernier regard à mon lit, aux objets que j'aime. Voilà, je suis prête. Comme Rose Latulipe il y a deux cents ans, je m'en vais danser avec le diable.

Au village, la fête est déjà commencée. Un orchestre joue et, sur la place, des dizaines de couples tourbillonnent. La canicule semble toujours bien décidée à nous rendre la vie impossible. Il fait chaud, tellement chaud… Ma camisole et ma jupe me collent à la peau. J'ai du mal à respirer. En plus, j'ai oublié de me mettre de la crème solaire, moi qui brûle au moindre petit rayon… Tant pis. J'imagine qu'un coup de soleil ou une insolation n'est rien comparé à ce qui m'attend.

Mes parents et moi, nous traversons la place, saluons des voisins, nous arrêtons ici et là pour discuter. Nous sommes arrivés depuis un peu plus d'une demi-heure quand, soudain, une odeur que je commence à reconnaître me fait sursauter : l'odeur de monsieur Rouleau. Celle du soufre, probablement. Pour être honnête, je ne sais absolument pas ce que c'est, du soufre. Mais je suis sûre que c'est ce que sent monsieur Rouleau. Je me retourne lentement. J'avais raison. Derrière moi, monsieur Rouleau est en train de bavarder avec mes parents. Toujours habillé des pieds à la tête. Il m'adresse un sourire étincelant et déclare de sa voix grave et mielleuse :

—Tu m'as promis la première danse, Julie, tu te rappelles ?

Je regarde ses gants et son chapeau en tremblant. Ses cornes et ses griffes ne paraissent pas du tout grâce à son déguisement. Je serre ma médaille de saint Joseph, je frissonne, j'ai envie de pleurer. D'appeler au secours. Je jette un regard suppliant à mes parents, qui ne comprennent rien à mon hésitation.

—Allons, Lili, ne sois pas timide, se moque mon père

pendant que ma mère me pousse vers la piste de danse.

Me voilà seule, face à face avec le diable… euh… avec monsieur Rouleau. Il pose une main dans mon dos. Je sursaute comme s'il m'avait brûlée. Je jette un coup d'œil plein de détresse vers mes parents, qui me regardent avec un petit sourire tranquille. Une Julie abandonnée!

Monsieur Rouleau s'empare de ma main et nous nous mettons à valser. Peut-être que si je lui marche sur les pieds, il choisira une autre cavalière? Il y a des tonnes de filles plus coquettes que moi au village. Mais peut-être qu'au contraire il se fâchera et que sa colère sera terrible? Je réfléchis de toutes mes forces pendant que nous tournons, tournons et tournons encore. Soudain... BANG! nous heurtons un autre couple. Tout le monde éclate de rire, sauf moi. Car les danseurs sont monsieur Chabot, mon voisin d'en face, que je soupçonne fortement d'être un loup-garou, et Rosie, la bibliothécaire, qui est probablement une sorcière. Les voilà en train de rigoler avec monsieur Rouleau. Je suis bien entourée...

—Désolé, mes braves, lance mon cavalier, mais cette jolie jeune fille m'a promis une danse, alors je dois vous quitter.

Ses bras m'enserrent plus fermement encore et nous nous remettons à tournoyer. Tourne encore et encore. À chaque nouveau tour, je vois le sourire inquiétant de monsieur Chabot, le regard tranquille de mes parents, les joues rouges de Rosie.

Je suis tout étourdie. Je ne sens plus que la main de monsieur Rouleau posée dans mon dos. Des bribes de l'histoire de Rose Latulipe tourbillonnent dans ma tête pendant que nous continuons notre terrible danse.

«Un bel étranger demande à entrer. Il est très élégant, tout habillé de noir… L'étranger demande la permission de garder ses gants et son chapeau…»

Un autre tour de piste. Monsieur Rouleau salue au passage quelques personnes du village. Je voudrais lui dire d'arrêter de tournoyer, que je ne me sens pas bien, mais je n'arrive pas à ouvrir la bouche. Une Julie muette comme une carpe!

«L'étranger invite immédiatement Rose Latulipe à danser… Ils se mettent à tourner, à tourner encore. Rose ne peut plus arrêter, comme si ses pieds bougeaient malgré elle. Elle se sent ensorcelée…»

Combien de temps va durer cette danse? On dirait que l'orchestre ne s'arrêtera jamais. Je lève la tête vers mon danseur et je murmure:

—Je… je voudrais…

Il se contente de me lancer son sourire charmeur et continue à danser. La voix de Stéphane résonne toujours dans ma tête: «Rose continue de tourner avec l'inconnu. Soudain, une forte odeur de soufre s'élève dans la maison et l'étranger éclate d'un rire diabolique. Il se penche pour embrasser Rose Latulipe. Du feu jaillit de ses lèvres.»

Pendant que nous dansons, monsieur Rouleau et moi, je remarque une fois de plus cette odeur désagréable qui émane de lui. J'aurais dû demander à mon oncle adoré ce que sent le soufre. Trop tard: Stéphane ne pouvait pas assister à la fête aujourd'hui et, de tous ceux que je connais, c'est le seul qui aurait pu me sauver des griffes du diable.

La valse infernale se poursuit. Soudain, une main se pose sur l'épaule de monsieur Rouleau.

—Tu permets, papa?

Dominic! Mon sauveur! Il a dit… il a bien dit… papa?! Alors, «Dominic R. Laporte», c'est pour Dominic Rouleau? Voilà pourquoi monsieur Rouleau était au terrain chaque fois. Pourquoi il connaissait mon prénom. Mon cœur bat à tout rompre. Même si mes pieds se sont immobilisés, ma tête tourne encore. Mon prince charm... euh... Dominic serait donc le fils du diable? Mes jambes deviennent tout à coup molles... molles... molles...

▲ ▼ ▲

Quand j'ouvre les yeux, ma mère m'observe d'un air inquiet. Elle passe un linge mouillé sur mon visage. À ses côtés, le pharmacien, monsieur Fortin, dit calmement:

—Ne vous en faites pas. C'est probablement la chaleur. Vous avez vu son coup de soleil?

En une seconde, je revois toute la scène: monsieur Rouleau, la danse diabolique, Dominic... Je bredouille:

—Monsieur... monsieur Rouleau? Où est-il?

Ma mère semble étonnée.

—Eh bien, à la fête, Julie. Tu étais en train de danser avec lui et tu as perdu connaissance, ma belle. Nous t'avons emmenée au centre communautaire, ton père et moi, avec l'aide de monsieur Fortin. Comment te sens-tu?

—Ça va. Est-ce que monsieur Rouleau a enlevé son chapeau et ses gants quand je suis tombée évanouie?

Cette fois, ma mère paraît carrément inquiète.

—Tu es sûre que tu vas bien, Julie?

Monsieur Fortin, le pharmacien, répond de son habituel ton tranquille:

—Monsieur Rouleau n'enlève jamais ses gants ni son chapeau, Julie. Il a une maladie de la peau qui s'appelle l'érythrodermie. Il est hypersensible au soleil. Sa peau ne doit pas être exposée, car elle brûle très facilement.

Alors monsieur Rouleau se cache du soleil? Il ne garde pas ses gants et son chapeau pour camoufler ses cornes et ses griffes? À moins que le pharmacien ne soit complice? J'insiste :

— Et la drôle d'odeur qu'il dégage, alors?

— Lili! s'écrie mon père. Ce n'est pas très poli…

— C'est vrai qu'il sent un peu drôle, murmure le pharmacien d'un ton complice. Monsieur Rouleau croit beaucoup au pouvoir des huiles essentielles pour soigner son érythrodermie. Il ne m'a pas dit laquelle il utilise, mais elle sent très fort.

Je propose :

—De l'huile essentielle de soufre, peut-être ?

Mes parents et le pharmacien éclatent d'un grand rire, comme s'ils n'avaient jamais rien entendu d'aussi drôle.

—Impossible, répond monsieur Fortin. Le soufre est un élément chimique. Il n'y a pas d'huile de soufre. Tu sais, cette petite odeur quand on craque une allumette ? C'est l'odeur du soufre. Tu imagines une huile essentielle qui sentirait l'allumette ?!

Je ne trouve plus de questions à poser. Je suis abasourdie : me serais-je trompée sur toute la ligne ? Je me relève lentement. Une douleur dans le dos me fait grimacer. OUCH ! Ça brûle !

—Ça va chauffer quelques jours, Lili, déclare mon père. Tu as attrapé un coup de soleil terrible pendant la danse.

Ma mère ajoute :

—Tu aurais dû mettre de la crème solaire, Julie. Tu as souvent des coups de soleil, mais je ne t'ai jamais vue être aussi rouge. C'est dangereux !

Elle enlève un foulard noué sur ses cheveux, le déplie et le pose sur mes épaules.

—Pas question que tu retournes au soleil sans te couvrir un peu. La prochaine fois…

Heureusement, Dominic arrive à ma rescousse, tel un prince charmant venu sauver sa princesse ! Il entre dans la salle où nous nous trouvons et m'évite de me faire disputer plus longtemps par mes parents.

—Ça va mieux, Julie? Tu veux retourner à la fête?

Il me tend la main.

Comment résister? Il est si beau… Diablement beau, en fait! Mais si son père était le diable en personne? Comment le savoir? Peut-être que monsieur Rouleau n'est pas le diable, que j'ai un gros coup de soleil dans le dos, tout simplement, et que dans quelques jours plus rien ne paraîtra. Mais… HORREUR! Peut-être aussi que je ne me suis pas trompée et qu'il m'a brûlé la peau en dansant avec moi. Peut-être que je porte à tout jamais la marque du diable dans mon dos…

Pas moyen de le savoir tout de suite. Si le coup de soleil disparaît peu à peu, je croirai le pharmacien. Sinon… une Julie marquée à jamais par la main du diable! Comme je ne serai pas fixée avant quelques jours, autant profiter de l'invitation de Dominic tout de suite! Je prends la main qu'il me tend. Si l'histoire de Stéphane est vraie et que je garde la marque du diable dans mon dos, plus personne ne voudra de moi, désormais… Ça m'apprendra à être coquette. Dans deux cents ans, quand les oncles voudront faire peur à leurs nièces coquettes, ce n'est plus la légende de Rose Latulipe qu'ils raconteront. Ce sera celle de Julie et de son danseur diabolique.